A]

to the E.

the Reverend Dr Eric G. Jay's

NEW TESTAMENT GREEK

An Introductory Grammar

LONDON
SPCK

First published in 1960
Seventh impression 1981
SPCK
Holy Trinity Church,
Marylebone Road,
London, NW1 4DU

NOTE

The student should note that the translation of each sentence given in this Key is not necessarily the only one possible, and should consider why a particular translation has been used rather than an alternative.

Made and printed in Great Britain by
Hollen Street Press Ltd., Slough

ISBN 0 281 00664 4

Exercise 1

1. Ἀρχὴ τοῦ εὐαγγελίου Ἰησοῦ Χριστοῦ Υἱοῦ Θεοῦ.
2. Καὶ εἰσελθὼν πάλιν εἰς Καφαρναοὺμ δι' ἡμερῶν ἠκούσθη ὅτι ἐν οἴκῳ ἐστίν.
3. Καὶ εἰσῆλθεν πάλιν εἰς συναγωγήν, καὶ ἦν ἐκεῖ ἄνθρωπος ἐξηραμμένην ἔχων τὴν χεῖρα.
4. Καὶ πάλιν ἤρξατο διδάσκειν παρὰ τὴν θάλασσαν. καὶ συνάγεται πρὸς αὐτὸν ὄχλος πλεῖστος, ὥστε ἀυτὸν εἰς πλοῖον ἐμβάντα καθῆσθαι ἐν τῇ θαλάσσῃ, καὶ πᾶς ὁ ὄχλος πρὸς τὴν θάλασσαν ἐπὶ τῆς γῆς ἦσαν.
5. Καὶ ἦλθον εἰς τὸ πέραν τῆς θαλάσσης εἰς τὴν χώραν τῶν Γερασηνῶν.
6. Καὶ ἐξῆλθεν ἐκεῖθεν, καὶ ἔρχεται εἰς τὴν πατρίδα αὐτοῦ, καὶ ἀκολουθοῦσιν αὐτῷ οἱ μαθηταὶ αὐτοῦ.
7. Καὶ συνάγονται πρὸς αὐτὸν οἱ Φαρισαῖοι καί τινες τῶν γραμματέων ἐλθόντες ἀπὸ Ἱεροσολύμων.
8. Ἐν ἐκείναις ταῖς ἡμέραις πάλιν πολλοῦ ὄχλου ὄντος καὶ μὴ ἐχόντων τί φάγωσιν, προσκαλεσάμενος τοὺς μαθητὰς λέγει αὐτοῖς.
9. καὶ ἔλεγεν αὐτοῖς Ἀμὴν λέγω ὑμῖν ὅτι εἰσὶν τινὲς ὧδε τῶν ἑστηκότων οἵτινες οὐ μὴ γεύσωνται θανάτου ἕως ἂν ἴδωσιν τὴν βασιλείαν τοῦ Θεοῦ ἐληλυθυῖαν ἐν δυνάμει.
10. Καὶ ἐκεῖθεν ἀναστὰς ἔρχεται εἰς τὰ ὅρια τῆς Ἰουδαίας καὶ πέραν τοῦ Ἰορδάνου, καὶ συνπορεύονται πάλιν ὄχλοι πρὸς αὐτόν, καὶ ὡς εἰώθει πάλιν ἐδίδασκεν αὐτούς.

Exercise 2

1. They sacrifice,
   or They are sacrificing.
2. We bring,
   or We carry.
3, You eat.
4. He, she, it writes.
5. Do I speak?
   or Am I speaking?
6. Thou believest.
7. You heal.
8. We have.
9. He, she, it plants.
10. They command.

Exercise 3

1. ἀκούει.
2. λέγουσι(ν).
3. ἐσθίεις.
4. βάλλομεν.
5. ἄγει;
6. πιστεύετε.
7. θύομεν.
8. φέρει.
9. φυτεύουσι(ν).
10. ἄγομεν.
11. γράφεις.
12. πέμπω;
13. ἀκούομεν.
14. βάλλετε.
15. ἐσθίει.
16. κελεύεις;
17. φέρουσι(ν).
18. ἄγομεν.
19. ἔχει.
20. λέγετε.

Exercise 4

1. The sisters are eating.
2. Thou hearest the voice of the bride.
3. We believe the teachings of the synagogue.
4. It brings grief to the young girl.
5. Sister speaks to sister.
6. The commandment enjoins the feast.

Exercise 5

1. ἀδελφῆς.
2. ταῖς νύμφαις.
3. τὰς φωνάς.
4. ζωνῶν.
5. παιδίσκῃ.
6. τὴν εἰρήνην.
7. τῆς δικαιοσύνης.
8. τῇ γῇ.
9. τὰς ἑορτάς.
10. λόγχης.
11. ἡ τῆς παιδίσκης ψυχή.
12. τῇ τῆς νύμφης ἀγαπῇ.
13. ἡ τῶν φωνῶν βροντή.
14. τὴν τῶν ἐντολῶν γραφήν.
15. αἱ συναγωγαί.

Exercise 6

1. ἡ ἀδελφὴ πέμπει.
2. πέμπει τὴν ἀδελφήν.
3. ἄγεις τὴν νύμφην.
4. ἡ νυμφὴ ἀκούει τὴν φωνήν.
5. ἡ γῆ ἔχει τὴν εἰρήνην.
6. γράφομεν τὰς ἐντολάς.
7. ἀκούετε τὴν διδαχήν.
8. φέρει τὰς γραφὰς τῇ παιδίσκῃ.
9. αἱ ἀδελφαὶ λέγουσι τῇ νύμφῃ.
10. ἡ νύμφη λέγει ταῖς ἀδελφαῖς.

Exercise 7

1. The disciples of John fast.
2. He was announcing peace to the soldiers.

3. The door has need of a guard.
4. Andrew will serve the Messiah.
5. We were looking at the tables of the publicans.
6. The prophets were interpreting the commandments to the young men.

Exercise 8

1. ἤγομεν.
2. ἰσχύετε.
3. ἤσθιον.
4. ἡ παιδίσκη ὠνόμαζε τὸν μαθητήν.
5. ἦγες τοὺς στρατιώτας.
6. γράψουσι τὰς ἐντολάς.
7. ὁ στρατιώτης ἔπαιε τὴν τοῦ κλέπτου κεφαλήν.
8. ἡ βασιλεία ἕξει φυλακήν.
9. βλέψομεν τὴν τραπέζαν.
10. ἀκούσεις τὴν φωνήν.

Exercise 9

1. ἡ νύμφη ἐβούλευεν.
2. οἱ μαθηταὶ ἡρμήνευον τὰς γραφὰς τοῖς στρατιώταις.
3. ἀκούσομεν βροντήν.
4. αἱ τῶν στρατιωτῶν λόγχαι ἔπαιον τὴν θύραν.
5. ὕβριζες τὴν νύμφην.
6. δουλεύσομεν τῇ βασιλείᾳ.
7. ἠλείφετε τὸν Μεσσίαν.
8. ὁ Ἰωάνης ἡρμήνευε τὰς γραφὰς τῷ Ἀνδρέᾳ.
9. λούσω τὴν λόγχην.
10. αἱ τῶν κλεπτῶν φωναὶ ἤγειρον τὴν γῆν.
11. ἡ ὀργὴ ἄρξει τὴν γλῶσσαν.
12. ἡ ἀλήθεια ἰσχύει.

Exercise 10

1. The time is near and we shall see the kingdom of God.
2. The apostle will lead the people in the ways of truth.
3. He was sending the crowd out of the desert.
4. The slave was eating supper with the servant-girls on the sabbath.
5. The children were driving the sheep into the field with stones.
6. The man was putting the books in his son's house.

EXERCISE 11

1. ὁ ἄγγελος λύει τὸν ἀπόστολον.
2. οἱ ἀπόστολοι λέγουσι λόγους τῆς εἰρήνης.
3. οἱ δοῦλοι ἤσθιον ἄρτον.
4. τὰ τέκνα ἰσχύει.
5. ὁ Υἱὸς τοῦ Θεοῦ φέρει τὴν δικαιοσύνην καὶ τὴν εἰρήνην.
6. ἐβάλλομεν τὰ δίκτυα.
7. πέμψουσι πλοῖον.
8. οἱ δοῦλοι ἄξουσι τὰ πρόβατα.
9. φίλοι φίλους οὐχ ὑβρίζουσιν.
10. οἱ τῆς βασιλείας υἱοὶ γράψουσι λόγους τῆς ἀληθείας.

EXERCISE 12

1. ἤγομεν τὰ πρόβατα εἰς τὸν τόπον.
2. βάλλει τὸν ἄρτον ἐκ τῆς οἰκίας εἰς τὸν ὄχλον.
3. δεῖπνον ἤσθιον ἐν τῷ σαββάτῳ.
4. ὁ Κύριος ἄξει τὸν λαὸν ἐν τῇ τῆς εἰρήνης τρίβῳ.
5. κλείσομεν τὴν θύραν λίθοις.
6. ἤγομεν τὰ τέκνα ἀπὸ τῶν δένδρων εἰς τὴν ἔρημον.
7. οἱ μαθηταὶ ἔλυον τοὺς κλέπτας ἐκ τῆς ἁμαρτίας.
8. ἡ ἀλήθεια λύσει τὴν τοῦ ἀνθρώπου γλῶσσαν.
9. οἱ ἀδελφοὶ κλαίουσιν ἐν τῇ τῆς ἀδελφῆς οἰκίᾳ.
10. ὁ Ἰωάνης καὶ ὁ Ἀνδρέας πέμψουσι τὰς γραφὰς εἰς Λύδδαν.
11. ὁ Κύριος φόβον φέρει εἰς τὰς καρδίας ἀνθρώπων καὶ τὰ δαιμόνια βάλλει εἰς τὴν θάλασσαν.
12. οἱ κλέπται ἤσθιον σὺν τοῖς στρατιώταις.

EXERCISE 13

1. Jesus was in a desert place with the wild beasts.
2. The prophet's teaching is new.
3. I am the true vine.
4. Beloved, we are God's children now and we shall be like God.
5. The Son of man is lord of the sabbath.
6. You are holy in an evil world.

EXERCISE 14

1. χαλεπὴ ἔσται ἡ ὁδός.
2. οἱ στρατιῶται χωλοὶ ἦσαν.
3. οὐκ ἀκάθαρτά ἐστι τά πρόβατα.
4. ἀνθρωποκτόνοι ἐστέ.
5. πλοῖα ὀλίγα ἐστὶν ἐν τῇ θαλάσσῃ.

6. τὸ βιβλίον τὸ ἅγιόν ἐστιν ἐν τῷ ἱερῷ τῷ ἐπιγείῳ.
7. δοῦλος ἦν ἀλλὰ νῦν ἐλεύθερός ἐστιν.
8. ὁ δίκαιος οὐ παίει δοῦλον.
9. ἐγὼ πρῶτος καὶ σὺ δεύτερος καὶ ἡ παιδίσκη ἐσχάτη ἔσται.
10. οἱ τοῦ προφήτου λόγοι φανεροὶ ἔσονται ὅλῳ τῷ κοσμῷ.

EXERCISE 15

1. ὁ ἀπόστολος ὁ μακάριος ἤσθιεν ἄρτους μικροὺς ἐν τῇ οἰκίᾳ.
2. βλέψομεν εὐθὺς τὴν αἰώνιον βασιλείαν τοῦ Θεοῦ τοῦ αἰωνίου.
3. σκληροὺς λόγους λέγεις ἀλλὰ ἀκούει ὅλος ὁ κόσμος.
4. οἱ τυφλοὶ νῦν βλέπουσι καὶ οἱ χωλοὶ ἰσχυροί εἰσιν.
5. ὁ Θεὸς πάλιν ἀπόστολον πέμψει ὅμοιον τῷ ᾿Ιωάνει.
6. ὁ ἀδελφός μου λίθῳ ἔπαιε τὴν κεφαλὴν τοῦ πονηροῦ κλέπτου.
7. οἱ ἀπόστολοι ὀλίγοι ἀλλὰ αἰώνιος ὁ μισθός.
8. ἀληθινὸς ἦν ὁ λόγος τοῦ προφήτου.
9. τὴν ἀλήθειαν λέγομεν τῷ σοφῷ μαθητῇ.
10. ὁ Χριστὸς λύει τὸν ἁμαρτωλὸν ἐκ τῆς ἁμαρτίας.

EXERCISE 16

1. Peter said to him: Thou art the Christ.
2. My slave found them in that house.
3. These things he said, and after this he says to them: Our friend is dead.
4. From that day his disciples did not come to this place.
5. If they persecuted me, they will persecute you too.
6. And he said the same words again.

EXERCISE 17

1. οὗτος ἦλθεν εἰς μαρτυρίαν.
2. ἐλάβομεν αὐτόν.
3. ἠκούσατε τὴν φωνὴν αὐτοῦ.
4. οἱ μαθηταὶ ἤκουσαν αὐτοῦ.
5. ἤνεγκεν αὐτοὺς πρὸς τὸν ᾿Ιησοῦν.
6. οἱ μαθηταὶ αὐτοῦ ἐπίστευσαν εἰς αὐτόν.
7. πρόβατα εὗρεν ἐν τῷ ἱερῷ.
8. οὐ λαμβάνετε τὴν μαρτυρίαν ἡμῶν.
9. ἦν τὸ σάββατον ἐν ἐκείνῃ τῇ ἡμέρᾳ.
10. ἐδιώξαμεν τοὺς κλέπτας εἰς τὴν ἔρημον.

EXERCISE 18

1. ἐν ἐκείναις ταῖς ἡμέραις ὁ ᾿Ιωάνης ἐκήρυσσεν ἐν τῇ ἐρήμῳ.
2. ἀπ᾿ ἐκείνου τοῦ τόπου ἠγάγετε ἡμᾶς πρὸς τὴν θαλάσσαν.

3. ἔπεισαν ἡμᾶς καὶ ἐμείναμεν ἐν τῷ αὐτῷ τόπῳ.
4. αὕτη ἡ γυνὴ υἱὸν ἔτεκεν.
5. αὐτοὶ ἐμάθετε τὰς γραφὰς ἐν ταύτῃ τῇ οἰκίᾳ.
6. ἐτέμομεν τοὺς ἄρτους ἡμῶν καὶ ἐπίετε τὸν οἶνον ὑμῶν.
7. ἐλίπετε τὸ δίκτυον ὑμῶν ἀλλὰ ἐγὼ εὗρον αὐτό.
8. οἱ ἀπόστολοι τὰ αὐτὰ εἶπον ὑμῖν.
9. βάλλω τοὺς αὐτοὺς λίθους εἰς τὸν ποταμόν.
10. ὁ Κύριος αὐτὸς λύσει ἡμᾶς ἐκ τῶν ἁμαρτιῶν ἐκείνων.

Exercise 19

1. We have heard the word of God and also speak it to you.
2. Lazarus is dead, but Jesus will loose him from death.
3. Therefore the Pharisees said to him: How then has he healed you?
4. We are apostles, for the Lord has sent us into the villages.
5. And he said: These things have I suffered in my heart because you have sinned against me.
6. Philip finds Nathanael and says to him: We have found the Christ.

Exercise 20

1. τεθύκαμεν τὰ πρόβατα ἡμῶν.
2. γεγράφατε ταῦτα ἐν βιβλίῳ.
3. λέλυκα τοὺς δούλους ἐκ τῶν δεσμῶν αὐτῶν.
4. ἡμαρτήκασι καὶ πεπόνθασιν.
5. εὕρηκε τὸ τέκνον ἐν τῇ ἐρήμῳ.
6. σὺ μὲν πεφύτευκας ἐγὼ δὲ εἴληφα τὸν καρπόν.
7. ὡμολογήκασι τὰς ἁμαρτίας αὐτῶν ἐν τῷ ἱερῷ.
8. βεβλήκασι τὸν ἄρτον εἰς τὸν ποταμόν.
9. ἀκηκόαμέν τε καὶ πεπιστεύκαμεν.
10. ἡ βασιλεία τοῦ Θεοῦ ἔφθακεν ἐπὶ ὑμᾶς.

Exercise 21

1. τὴν μὲν ἀλήθειαν εἴπομεν ὑμῖν, οὐ δὲ ἐπιστεύσατε.
2. οἱ μὲν ἄρτους φέρουσιν οἱ δὲ λαμβάνουσιν.
3. ὁ δὲ εἶπε τοῖς μαθηταῖς ὅτι πέμπω ὑμᾶς εἰς τὴν γῆν.
4. οὐκ ἐσθίομεν, οὐ γὰρ ἄρτον ἔχομεν.
5. οὐ μόνον ὕβρισεν ἐμὲ ἀλλὰ καὶ ἔπαισέ σε.
6. σὺ μὲν οὖν ἀδικίαν λέγεις, οὗτος δὲ λέγει ἀλήθειαν.
7. λίθους βέβληκας εἰς τὴν οἰκίαν· οἱ οὖν στρατιῶται ἐδίωξάν σε.
8. οἱ Ἰουδαῖοι οὐ λύουσι τὸ σάββατον, ὅτι ἐν ἐκείνῃ τῇ ἡμέρᾳ ἁγιάζουσι τὰς καρδίας.
9. τεθνήκασι καὶ ἐκεῖνος ἔθαψεν αὐτούς.
10. ὁ ἄνεμος ἐλήλακε τὰ πλοῖα ἀπὸ τῆς γῆς.

Exercise 22

1. Jesus is eating with sinners and publicans.
2. And he went out thence on account of their unbelief.
3. About the third day they had taken the books out of the synagogue.
4. He had appointed the slaves under the authority of a good master.
5. These things are mine, but those are yours.
6. The soldiers were cutting down the trees according to the centurion's orders.

Exercise 23

1. ἡ ἐκκλησία ἐξέβαλε τοὺς ἁμαρτωλούς.
2. ὁ Λευείτης παρήγαγε τὸν νεκρόν.
3. ὁ λαὸς ὑπήκουσε τῇ τῶν πρεσβυτέρων ἐξουσίᾳ.
4. μετὰ τὴν ἀστραπὴν ὁ ἄνεμος ἐξέκοψε τὰς σκηνάς.
5. ὁ Θεὸς οὐ κατακρίνει σε διὰ τοῦτο.
6. ὁ Κύριος ἁμαρτωλοὺς κρίνει κατὰ τὰς γραφάς.
7. ὁ Ἰησοῦς ἔπαθεν ὑπὲρ τῶν προβάτων αὐτοῦ.
8. ὦ Κύριε, ἀνοίξω τὴν θύραν τῆς καρδίας μου.
9. ὁ πρεσβύτερος ἐξῆλθε διὰ τῆς Σαμαρίας κατὰ τὸν Ἰορδάνην.
10. ἐλελύκει τὴν ζώνην αὐτοῦ καὶ ἐβεβλήκει ἐν τῇ σκηνῇ.

Exercise 24

1. ἤδη ἐγεγράφειμεν τῇ ἐκκλησίᾳ.
2. διὰ τὸν τάραχον συνηγάγομεν τὴν ἀγέλην ὑπὸ τὸν κρημνόν.
3. οἱ διδάσκαλοι τὰ τέκνα ἀκριβῶς ἐδίδαξαν τὰ στοιχεῖα τῆς ἀληθείας.
4. τότε ὁ Ζεβεδαῖος μετὰ τῶν υἱῶν αὐτοῦ εἰσῆγε τὸ πλοῖον πρὸς τὴν γῆν.
5. ἤδη μὲν περὶ τοῦ δευτέρου βιβλίου γέγραφα, περὶ δὲ τοῦ τρίτου κατὰ καιρὸν γράψω.
6. Ἰησοῦς Χριστὸς πολλὰ ἔπαθεν ὑπὸ τῶν ἐχθρῶν αὐτοῦ.
7. τρὶς ὑπὲρ τὸν σκοπὸν βέβληκας τὴν λόγχην.
8. περὶ τὴν δευτέραν ἡμέραν ἐγεγράφει ὅλον τὸ βιβλίον.
9. τουτῷ μὲν τὸ ὄνομα ἦν Ἀνδρέας, ἐκείνῳ δὲ Ἰωάνης.

Exercise 25

1. And they were baptized by him in the river Jordan.
2. Jesus has been raised from the dead.
3. The murderer will be cast into prison immediately.
4. Then Jesus was carried up by the Spirit into the desert and was tempted by the devil.

5. Lepers are cleansed and the deaf hear, the dead are raised up and the poor have the gospel preached to them.
6. And at that hour the disciples were sent out of the house.

Exercise 26

1. ἡγιάζοντο.
2. ἀχθήσῃ.
3. ἠκούσθη.
4. βέβλησθε.
5. ἐβαπτίσθημεν.
6. βλέπονται.
7. ἐγράφη.
8. ἐδιδάχθης.
9. ἐδιωκόμην.
10. ἠγέρθησαν.
11. εὑρεθησόμεθα.
12. τέθυται.
13. ἐκελεύθης.
14. ἐκέκλειστο.
15. λούονται.
16. ἐπείσθημεν.
17. πέμπεσθε.
18. πεπίστευται.
19. ἐστράφημεν.
20. συντριβήσονται.

Exercise 27

1. ὁ Ἰησοῦς ἐβαπτίσθη ὑπὸ τοῦ Ἰωάνου ἐν τῷ Ἰορδάνῃ.
2. συνήχθησαν εἰς τὴν οἰκίαν.
3. καὶ εὐθὺς ἠγέρθη ἀπὸ τῆς κλινῆς αὐτοῦ.
4. βληθήσῃ εἰς φυλακήν.
5. τὸ δένδρον τὸ ἀγαθὸν οὐκ ἐκκόπτεται.
6. οἱ λίθοι οὗτοι οὐ συντριβήσονται.
7. ὑπὸ λῃστῶν δεδίωγμαι.
8. ὑμεῖς, ὦ μαθηταί, εἰς τὰς κωμὰς ἀπεστέλλεσθε.
9. ὁ ἀμνὸς ἐτύθη ἐν τῷ ἱερῷ.
10. τὰ πλοῖα τάσσεται ἐν τῷ αἰγιαλῷ.
11. ὁ ἀδελφός σου εὑρέθη.
12. ὁ Ἰησοῦς ἤχθη ἐκ τοῦ κήπου.

Exercise 28

1. And the old men were eating locusts in the desert.
2. Who has loosed the strap of your sandal?
3. And the woman fell down at his feet.
4. And he answered and said to her: I will cure your plague.
5. To whom did I say these things? Was it not to you?
6. The wife of which of the brothers therefore shall she be in heaven?

Exercise 29

1. τῆς γυναικός.
2. τοῖς παισίν.
3. ταῖς παισίν.
4. ἐλπίδι.

5. πρὸς τὴν πατρίδα μου.
6. τῶν ποδῶν.
7. σφραγῖδι.
8. ἱμᾶσιν.
9. κατὰ τὴν σαρκά.
10. τοῖς γέρουσιν.
11. οἱ κήρυκες.
12. ὑπὲρ τοὺς φοίνικας.
13. σὺν τοῖς ἄρχουσιν.
14. ὑπὸ τοὺς πόδας.
15. περὶ τῶν Ἀράβων.
16. λαμπάδος.
17. κατὰ τὰς ἐλπίδας μου.
18. μάστιξιν.
19. αἱ τοῦ γέροντος φλέβες.
20. ταῖς τῶν κηρύκων σάλπιγξιν.

EXERCISE 30

1. ὁ γέρων οὐκ ἔχει ὀδόντας ἐν τῇ κεφαλῇ.
2. τί οὐ βλέπεις τὴν δοκὸν τὴν ἐν τῷ ὀφθαλμῷ σου;
3. οὐχὶ τοῦτό ἐστιν ὁ νόμος καὶ οἱ προφῆται;
4. σὺ οὖν εἶ ὁ Υἱὸς τοῦ Θεοῦ;
5. πῶς ἀνοίγει οὗτος τοὺς ὀφθαλμοὺς τῶν τυφλῶν;
6. Κύριε, σύ μου λούεις τοὺς πόδας;
7. ἀπεκρίθη ὁ Πειλᾶτος, Μήτι ἐγὼ Ἰουδαῖός εἰμι;
8. μὴ ἀγαθὸν δένδρον καρπὸν κακὸν φέρει;
9. ποῦ εὑρέθησαν οἱ κήρυκες;
10. πῶς βάλλουσι τοὺς ἱμάντας ὑπὸ τὰ πλοῖα;
11. πότε φεύξουσιν οἱ Ἄραβες πρὸς τὴν πατρίδα αὐτῶν;
12. μήτι οἱ τελῶναι καὶ ἁμαρτωλοὶ ἔσονται ἐν τῇ βασιλείᾳ τῶν οὐρανῶν;

EXERCISE 31

1. I send my messenger who will prepare your way.
2. The Christ comes, whom we shall obey.
3. This is the lord whose feet the slaves washed.
4. For he that is not against you is for you.
5. And he went out early and departed into a desert place, and there he began to pray.
6. And she will bring forth a son whom men will not receive.

EXERCISE 32

1. ἄρχεσθε.
2. προσευξόμεθα.
3. ἐπύθετο.
4. ψεύδου.
5. ἐγεύσαντο.
6. ἁπτόμεθα.
7. εὐηγγελίζοντο.
8. γίνεσθε.
9. ἠργαζόμεθα.
10. ἐδέξω.
11. ἀλείφομαι τὴν κεφαλήν.
12. ἐθύσατο ἑαυτόν.
13. ἐβουλεύοντο.
14. προεβάλετο.

15. ἐπορευσάμεθα.
16. ἐχαρίσω.
17. ἀπεκρίθη *or* ἀπεκρίνατο.
18. λήμψεσθε.
19. φευξόμεθα.
20. τέταγμαι.

Exercise 33

1. ἐργαζόμεθα τὰ ἔργα τοῦ Θεοῦ.
2. ἀπεκρίθη αὐτῷ ὁ Πέτρος, Κύριε πρὸς τίνα ἐλευσόμεθα;
3. τὰ πρόβατα φεύξεται ἀπὸ αὐτοῦ ὅτι οὐκ αἰσθάνεται τὴν φωνὴν αὐτοῦ.
4. νῦν ἐκβληθήσεται ὁ ἄρχων τοῦ κόσμου τούτου.
5. ἔρχεται ἡ ὥρα ἐν ᾗ ὁ Υἱὸς δέξεται δόξαν.
6. τί θέλετε; τὸν Ἰησοῦν ἀπολύσω;
7. δεξόμεθα τοὺς ἀποστόλους οἳ εὐαγγελίζονται.
8. ἡ Μαριὰμ υἱὸν τέξεται ὃς ἔσται ὁ Θεὸς μεθ' ἡμῶν.
9. ἐχαρίσατο ἡμῖν τὰς ἁμαρτίας περὶ ὧν προσευξάμεθα.
10. ὁ ἄνθρωπος οὗ τὰ πρόβατα ἐλελύκει ἐν τοῖς ἀγροῖς ἠργάζετο.
11. τὸ βιβλίον ὃ ἀναγινώσκεις ἐγράφη ὑπὸ προφήτου ἁγίου.
12. τίνα λόγχην ἔβαλες ἐν τῷ τόπῳ ὃν εὗρον;
13. ἡ γυνὴ ᾗ ἀπεκρίνατο οὐ γινώσκει τοὺς λόγους αὐτοῦ.
14. ἀκούομεν μὲν ἃ λέγετε ἐψεύσασθε δὲ ἡμῖν.

Exercise 34

1. And I say to you: pray for your enemies.
2. Enter into your chamber and pray to your Father.
3. Hypocrite, first cast out the beam out of your eye.
4. Let him that is righteous among you first cast a stone at her.
5. Go out quickly into the streets and lanes, and bring in hither the poor and blind and lame.
6. Go down into the river, and be baptized.

Exercise 35

1. ἄγαγε ὧδε τοὺς ποιμένας.
2. μὴ εἰσέλθετε εἰς τὸ ἱερόν, ὦ Ἕλληνες.
3. ἐλθέτω ἡ μητὴρ σὺν ταῖς θυγατράσιν αὐτῆς.
4. ἄκουε τῶν ῥητόρων.
5. πίστευε εἰς τὸν Κύριον.
6. βλήθητι εἰς τὴν θάλασσαν.
7. γραψάτωσαν τὰς ἐπιστολάς.
8. καλῶς ἐργάζεσθε καὶ ἀφέξετε τὸν μισθὸν ὑμῶν.
9. διώκετε τούτους τοὺς κυνάς.
10. ὀνομασθήτωσαν οἱ ἄνδρες.

Exercise 36

1. γινωσκέτω ὁ οἶκος Ἰσραὴλ τὸν Χριστὸν ὃν ἔπεμψεν ὁ Θεός.
2. ἐγγίσατε τῷ Σωτῆρι οὗ οἱ βραχίονες ἐκτείνονται πρὸς ὑμᾶς.
3. μὴ ταρασσέσθω ἡ καρδία ὑμῶν.
4. ἔλθετε εἰς τὴν κώμην καὶ ἐνέγκατε τὸν πῶλον.
5. αἰρέσθωσαν αἱ χεῖρες τῶν ἁγίων πρὸς τὸν Πατέρα αὐτῶν τὸν ἐν οὐρανοῖς.
6. ἀπὸ τῆς συκῆς μάθετε παραβολήν.
7. φωνὴ δὲ ἐγένετο ἐκ τῆς νεφέλης, Οὗτός ἐστιν ὁ Υἱός μου ὁ ἀγαπητός· ἀκούετε αὐτοῦ.
8. λέγει τῷ ἀνθρώπῳ· Ἔκτεινον τὴν χεῖρά σου.
9. λάβε τὸ παιδίον καὶ τὴν μητέρα αὐτοῦ, καὶ φεῦγε εἰς Αἴγυπτον.
10. Πάτερ ἡμῶν ὁ ἐν τοῖς οὐρανοῖς, ἁγιασθήτω τὸ ὄνομά σου, ἐλθέτω ἡ βασιλεία σου.

Exercise 37

1. I came not to call the righteous but sinners.
2. And he began to spread the matter abroad so that Jesus could no longer enter the city openly.
3. David entered the house of God and ate the loaves which it is not lawful to eat.
4. And as Jesus returned the crowd welcomed him.
5. Jesus says to his mother: My hour has not yet come.
6. And he began to wash the disciples' feet and wipe them.

Exercise 38

1. οὐκ ἔξεστιν Ἕλληνας εἰσαγαγεῖν εἰς τὸ ἱερόν.
2. ἔδει τοὺς ποιμένας φυλάσσειν τὰ πρόβατα αὐτῶν.
3. ἐκελεύσαμεν τοὺς μάρτυρας ἀχθῆναι ἐκ τῆς φυλακῆς.
4. ὦ Σῶτερ δεόμεθά σου ἀκοῦσαι ἡμῶν.
5. θέλω βαπτισθῆναι.
6. ἐβούλετο ὁ πατὴρ ἀποστεῖλαι τὴν θυγατέρα πρὸς τὴν κώμην.
7. ἄρξεσθε ἀναγνῶναι τοῦτο τὸ βιβλίον.
8. τὸν χιτῶνα ἔταξεν ὥστε τὴν χεῖρα καλυφθῆναι.
9. ἐν τῷ πορεύεσθαι αὐτοὺς ὁ ὄχλος κράζειν ἤρξατο.
10. δεῖ τὸν Υἱὸν τοῦ ἀνθρώπου ἐλθεῖν ἐν τῇ δόξῃ τοῦ Πατρός.

Exercise 39

1. καλόν ἐστί σε εἰσελθεῖν εἰς ζωὴν χωλόν.
2. μὴ δύναται δαιμόνιον ἀνοῖξαι τοὺς ὀφθαλμοὺς τῶν τυφλῶν;
3. οὐκ ἦλθον κρίνειν τὸν κόσμον ἀλλὰ σώζειν τὸν κόσμον.

4. ἤρξατο τοὺς πόδας αὐτοῦ ἐκμάσσειν ταῖς θριξὶν τῆς κεφαλῆς αὐτῆς.
5. ἐκέλευσε δὲ αὐτοὺς μὴ περὶ τούτων λέγειν.
6. εἰσῆλθεν εἰς τὴν οἰκίαν ἄρτον φαγεῖν.
7. ἐν δὲ τῷ ἔρχεσθαι αὐτὸν ὄχλος συνήγετο.
8. ἔξεστι τῷ σαββάτῳ θεραπεῦσαι ἀνθρώπους;
9. τοῖς μὲν Ἕλλησίν εἰσι ῥήτορες καλοὶ τοῖς δὲ Ἰουδαίοις καλοὶ ἡγεμόνες.
10. οὕτως ἐκήρυξαν οἱ ἀπόστολοι ὥστε τοὺς Ἕλληνας πιστεῦσαι.

Exercise 40

1. And they ask him: Why do not your disciples walk according to the tradition of the elders?
2. And immediately he talked with them, and says to them: Cheer up, do not be afraid.
3. And the scribes and Pharisees were watching him closely.
4. To what then shall I liken the men of this generation?
5. The works of God were made manifest in him.
6. I besought your disciples to cast out the devil.

Exercise 41

1. χαλάσω τὰ δίκτυα.
2. ἐπληρώθη ἡ γραφή.
3. τίνα ζητεῖς;
4. τί ποίησω;
5. ἐκάλεσεν αὐτοὺς καὶ ἠκολούθησαν αὐτῷ.
6. οἱ μαθηταὶ ἠρώτησαν αὐτὸν τοῦτο.
7. κατηγόρησας τοῦ βασιλέως.
8. ᾠκοδομοῦμεν τὴν πόλιν.
9. ἠλευθερώθησαν ἐν τῇ δυνάμει τῆς ἀναστάσεως.
10. οἱ μὲν ταπεινωθήσονται οἱ δὲ ὑψωθήσονται.

Exercise 42

1. οἱ ἁλιεῖς ἐπώλουν ἰχθύας καὶ ἄρτους ἠγόραζον.
2. γονεῖς ὑπὸ τέκνων ἐθανατώθησαν.
3. τίμα τὸν πατέρα σου καὶ τὴν μητέρα.
4. ἡ θυγάτηρ αὐτῆς τῇ πίστει ἐθεραπεύθη.
5. φωνοῦσι δὲ τὸν τυφλὸν καὶ λέγουσι, Θάρσει· φωνεῖ σε.
6. ἐφοβοῦντο ἐρωτῆσαι αὐτόν.
7. οἱ βότρυες ἠρίθμηνται ὑπὸ τοῦ ἀρχιερέως.

8. ζητεῖτε ἀποκτεῖναί με ὅτι ὁ λόγος μου οὐ χωρεῖ ἐν ὑμῖν.
9. καθὼς δὲ ὁ Μωυσῆς ὕψωσε τὸν ὄφιν ἐν τῇ ἐρήμῳ, οὕτως δεῖ ὑψωθῆναι τὸν Υἱὸν τοῦ ἀνθρώπου.
10. κατεσκήνωσαν ἐν τοῖς προβάτοις καὶ τοῖς βουσίν.

Exercise 43

1. And he said to her, For this saying, go; the devil has gone out of your daughter.
2. And they led Jesus away to the high-priest, and the high-priests and elders and scribes come together.
3. Jesus answered them, Have not I chosen you twelve? And one of you is a devil.
4. And he began to teach them again by the sea side; and a very great crowd is gathered to him.
5. And they were astonished at his teaching, because his word was with authority.
6. He was led as a sheep to slaughter, and as a lamb is dumb, so he does not open his mouth.

Exercise 44

1. προσευξόμεθα ἐν τῷ Πνεύματι.
2. προσεδέξαντο αὐτόν.
3. ποιήσει τὸ θέλημα τοῦ Θεοῦ.
4. ἐξέβαλε τὸ δαιμόνιον.
5. ἐν στόματι αὐτοῦ οὐκ ἐστι ψεῦδος.
6. αἱ γυναῖκες ἐξέμαξαν ταῖς θριξὶν αὐτῶν τοὺς πόδας τῶν δώδεκα.
7. ἔχω τὰς κλεῖδας τοῦ θανάτου.
8. ἦξαι πρὸς τὸ φρέαρ.
9. ἐδέχθη ὁ ἀπόστολος ἐν χάριτι.
10. ἔπλεξαν στέφανον ἐξ ἀκανθῶν.

Exercise 45

1. ἐλήλυθας ἀπὸ τοῦ Θεοῦ καὶ πρὸς τὸν Θεὸν ἐλεύσῃ.
2. ἐρρέθη ὑπὸ τῶν ἀρχαίων, Οὐ φονεύσεις.
3. συνήχθησαν οἱ ἀρχιερεῖς καὶ οἱ γραμματεῖς καὶ ἀπήγαγον αὐτὸν εἰς τὸ συνέδριον αὐτῶν.
4. καὶ πάλιν προσηύξατο καὶ τοὺς αὐτοὺς λόγους εἶπεν.
5. οἱ ἐν τῇ Ἰουδαίᾳ φευγέτωσαν πρὸς τὰ ὄρη.
6. οὗτοι δέχονται τὸν λόγον μετὰ χαρᾶς ἀλλὰ οὐ ῥίζαν ἔχουσιν.
7. πνίγονται μερίμναις καὶ πλούτῳ καὶ ἡδοναῖς.
8. τίνα τῶν προφητῶν οὐκ ἐδίωξαν οἱ πατέρες ὑμῶν;

9. ἀποστέλλω σε ἀνοῖξαι τοὺς ὀφθαλμοὺς τῶν τυφλῶν καὶ στρέψαι ἀνθρώπους ἀπὸ σκότους εἰς φῶς.
10. ἐταράχθησαν οἱ μαθηταὶ καὶ ἀνέκραξαν ἀπὸ φόβου.

Exercise 46

1. My time is not yet here, but your time is always at hand.
2. Why do you trouble her? She has done a good work on me.
3. Now a certain centurion's servant, who was dear to him, was about to die.
4. And the men marvelled and said: What kind of man is this, that even the winds and the sea obey him?
5. And immediately he made his disciples embark on the ship.
6. And then will many be offended, and they will betray one another and hate one another.

Exercise 47

1. τίς σώσει με ἀπὸ τούτου τοῦ θανάτου;
2. ὑμετέρα ἐστὶν ἡ βασιλεία τοῦ Θεοῦ.
3. ἐν ἐκείναις ταῖς ἡμέραις ὁ ἥλιος σκοτισθήσεται.
4. ἓξ εἰσὶν ἡμέραι ἐν αἷς δεῖ ἐργάζεσθαι.
5. ἡ ἀγάπη οὐκ ἐργάζεται τὸ κακόν.
6. σῶσόν με ἐκ τῆς ὥρας ταύτης.
7. ὁ Θεὸς ἐδοξάσθη ἐν τοῖς ἔργοις αὐτοῦ.
8. χωρίσατε ἑαυτοὺς ἀπὸ τοῦ κακοῦ.
9. πεποίθαμεν ἐν τῷ Κυρίῳ.
10. ἐκαθάρισεν ἑαυτόν.

Exercise 48

1. ἐν τῇ ἀναστάσει οὔτε γαμοῦσιν οὔτε γαμίζονται ἀλλὰ ὡς οἱ ἄγγελοι ἐν τῷ οὐρανῷ εἰσίν.
2. ἠλπίκαμεν ἐν τῷ Θεῷ ὅς ἐστιν ὁ Σωτὴρ τῶν ἀνθρώπων.
3. ἦν μαθητής τις ἐκεῖ ὀνόματι Τιμόθεος ὁ υἱὸς γυναικὸς Ἰουδαίας.
4. ἐγνώρισα αὐτοῖς τὸ ὄνομά σου καὶ γνωριῶ.
5. ὁ Θεὸς ἐκάλεσεν ἡμᾶς εὐαγγελίζεσθαι αὐτούς.
6. ἔσπευσε καταβῆναι ἐκ τοῦ δένδρου.
7. οὐ πεισθήσονται ὅτι οὐχ ἡγιασμέναι εἰσὶν αἱ καρδίαι αὐτῶν.
8. ἀτιμάζουσιν ἑαυτοὺς οἱ τοὺς μικροὺς σκανδαλίζουσιν.
9. ἐπείσθησαν δὲ τινὲς αὐτῶν καὶ ἐβαπτίσθησαν.
10. Ἡρῴδης ὁ βασιλεὺς ἐπέβαλε τὰς χεῖρας κακῶσαί τινας τῶν πιστῶν.

EXERCISE 49

1. And at that hour the unclean spirit convulsed him, and he fell on the ground.
2. And David entered into the house of God in the time of Abiathar the high-priest and ate the loaves which it is unlawful to eat.
3. In those days I will send you the Spirit of truth which proceeds from the Father.
4. For there shall be such tribulation as has not come to pass from the beginning of creation until now.
5. Because of this a man will leave his father and mother and will cleave to his wife.
6. Father, I praise thee, because thou hast hidden these things from the wise and prudent, and hast revealed them to babes.

EXERCISE 50

1. ὁ Κύριος οὐ καταλείψει ἡμᾶς ἐν τῇ θλίψει ἡμῶν.
2. ἐφ' Ἡρῴδου τοῦ βασιλέως ἦλθεν ὁ λόγος τοῦ Θεοῦ εἰς τὸν Ἰωάνην.
3. παρὰ τῷ ποταμῷ ἐκάθισαν.
4. τὸ βιβλίον δύο μηνῶν γραφήσεται.
5. δεῖ ἡμᾶς ἅψασθαι τῆς ζωῆς τῆς αἰωνίου.
6. πῶς ἐτράφη ὄχλος τηλικοῦτος;
7. οὗτοί εἰσιν οὓς οἱ ἀπόστολοι ἤλειψαν.
8. ἐμβάψον τὸν δάκτυλόν σου ἐν ὕδατι καὶ καταψῦξον τὴν ὀφρύν μου.
9. ἀπεστάλητε πρὸς ἡμᾶς ἕνεκα τοῦ ὑμετέρου λαοῦ.
10. χωρὶς παραβολῆς οὐκ ἐδίδασκεν αὐτούς.

EXERCISE 51

1. παρεκάλεσαν αὐτὸν μένειν μετ' αὐτῶν· ὁ δὲ ἔμεινεν ἐκεῖ δύο ἡμέρας.
2. συναχθήσεται ἔμπροσθεν αὐτοῦ τὰ ἔθνη καὶ ἀφορίσει αὐτοὺς ἀπ' ἀλλήλων.
3. οὐδέποτε τοιαύτην εἶδον οἰκίαν οἵαν ᾠκοδόμησαν οὗτοι οἱ ἐργάται.
4. οὗτος ὁ λόγος μέχρι ταύτης τῆς ἡμέρας διεφημίσθη.
5. τοσούτους ἔλαβον ἰχθύας ὥστε διαρρήσσεσθαι τὰ δίκτυα αὐτῶν.
6. τὸ δαιμόνιον οὐκέτι ἔβλαψεν αὐτόν.
7. ἡ ἀλήθεια ἣν κεκρύφασιν ἄνθρωποι πονηροὶ ἐν ἐκείναις ταῖς ἡμέραις ἀποκαλυφθήσεται.

8. διὰ τὰς ἁμαρτίας ἡμῶν κεκακώμεθα.
9. Κύριε, ἐπίτρεψόν μοι πρῶτον ἀπελθεῖν καὶ θάψαι τὸν πατέρα μου.
10. πρῶτον μὲν ἐνίψατο τὰς χεῖρας τότε δὲ τοὺς πόδας αὐτῶν ἔνιψεν.

Exercise 52

1. And he said to them: What did Moses command you?
2. They brought all the sick to him.
3. And a great storm of wind arose, and the waves were beating into the ship so that it was now filling.
4. He will command his angels concerning you, and they will bear you up in their hands.
5. John will turn many of the children of Israel to the Lord.
6. And when the time of harvest approached, he sent his servants into the vineyard.

Exercise 53

1. ὁ Θεὸς υἱὸν ἐπηγγείλατο τῷ 'Αβραάμ.
2. ἀρῶ τοὺς ὀφθαλμούς μου εἰς τὰ ὄρη.
3. τὰ δαιμόνια ἐξεβλήθη ἐν τῇ δυνάμει τοῦ Κυρίου.
4. εὐθεῖα μὲν ἦν ἡ ὁδὸς βραδεῖς δὲ οἱ πόδες αὐτῶν.
5. ἆρον τὸν κράβαττόν σου καὶ περιπάτει.
6. ἐχάρησαν οἱ μαθηταὶ ὅτε τὸν Κύριον εἶδον.
7. τοὺς πρεσβυτέρους δεῖ εἶναι σώφρονας.
8. οὐ μισθωτῷ μέλει περὶ τῶν προβάτων.
9. προσενηνόχαμεν τὰ δῶρα ἡμῶν ἐν τῷ ἱερῷ.
10. τὸ σπέρμα τὸ ἀγαθὸν ἐν τοῖς ἀγροῖς ἔσπαρται.

Exercise 54

1. ἠρώτησεν αὐτοὺς ὁ 'Ιησοῦς· Πόσους ἔχετε ἄρτους; οἱ δὲ εἶπον 'Επτά. καὶ παρήγγειλε τῷ ὄχλῳ ἀναπεσεῖν ἐπὶ τῆς γῆς.
2. ἔδειραν ἡμᾶς δημοσίᾳ καὶ εἰς φυλακὴν ἔβαλον· καὶ νῦν λάθρᾳ ἡμᾶς ἐκβάλλουσιν;
3. μετὰ ἡμέρας ἓξ ἀνήνεγκεν αὐτοὺς ὁ 'Ιησοῦς εἰς ὄρος ὑψηλόν.
4. ἡ κεφαλὴ τοῦ 'Ιωάνου ἠνέχθη ἐπὶ πίνακι πρὸς τὸ κοράσιον· ἡ δὲ ἤνεγκεν αὐτὴν πρὸς τὴν μητέρα.
5. νῦν ἐκβληθήσεται ὁ ἄρχων τούτου τοῦ κόσμου κἀγὼ ὑψωθήσομαι.
6. ἦν σεισμὸς μέγας καὶ ὁ ἥλιος ἐγένετο μέλας.
7. γράψον οὖν εἰς βιβλίον ἃ μέλλεις βλέπειν.
8. οὐχὶ σῖτον ἔσπειρας ἐν τῷ ἀγρῷ σου; πότε ἐξανατελεῖται;

9. πῶλος πρὸς τὸν Ἰησοῦν ἠνέχθη καὶ οἱ μαθηταὶ ἐπέβαλον αὐτῷ τὰ ἱμάτια αὐτῶν.
10. οἱ ὑγιεῖς ἐβούλοντο ἐνέγκαι τοὺς ἀσθενεῖς πρὸς τὸν Χριστόν.

Exercise 55

1. He that believes on me believes not on me but on him that sent me.
2. And when they came to the disciples they saw a great crowd round them and scribes arguing with them.
3. When this son of yours is come, who has devoured your livelihood with harlots, you have killed the fattened calf for him.
4. After this I saw another angel descending from heaven, having great authority.
5. The kingdom of heaven is like a grain of mustard, which a man took and sowed in his field.
6. And when the disciples saw him walking on the sea, they were troubled.

Exercise 56

1. πάντα τῷ πιστεύοντι δυνατά.
2. πᾶς ὁ ὑψῶν ἑαυτὸν ταπεινωθήσεται.
3. ὁ χρυσὸς ἐντιμότερός ἐστι τοῦ ἀργύρου.
4. ἀκούσαντες ταῦτα ἐβαπτίσθησαν.
5. μακάριος ὁ τηρῶν τὰ ῥήματα ταῦτα.
6. ὁ μικρότερος ἐν τῇ βασιλείᾳ τῶν οὐρανῶν μείζων ἐστιν Ἰωάνου.
7. ἦλθεν ὁ Υἱὸς τοῦ ἀνθρώπου ἐσθίων καὶ πίνων.
8. ὁ μισῶν ἐμὲ μισεῖ καὶ τὸν Πατέρα μου.
9. ὁ δὲ ἐλθὼν ἐλέγξει τὸν κόσμον.
10. ἡμῖν πλείονά ἐστι πρόβατα ἢ ὑμῖν.

Exercise 57

1. ὄψεσθε τοὺς ἀγγέλους τοῦ Θεοῦ ἀναβαίνοντας καὶ καταβαίνοντας ἐπὶ τὸν Υἱὸν τοῦ ἀνθρώπου.
2. ὁ ποιῶν τὴν δικαιοσύνην ἕξει μείζονα τιμήν.
3. εἰς τὴν πόλιν ἐλθόντες ἔμειναν ἐκεῖ μῆνας ἕξ.
4. οὐκ ἤθελε δέξασθαι τοὺς ἀγγέλους καίπερ πόρρωθεν ἐλθόντας.
5. μὴ εὑρόντες αὐτὸν ἐκεῖ ἀπῆλθον.
6. ἠκολούθησαν τῷ Ἰησοῦ παρὰ τὴν θάλασσαν περιπατοῦντι.
7. ἐλθὼν ὁ Υἱὸς τοῦ ἀνθρώπου εὑρήσει τὴν πίστιν ἐπὶ τῆς γῆς;
8. ὁ Κύριος λαβὼν ἄρτον καὶ εὐλογήσας ἔκλασεν.
9. πάντες οἱ ἰδόντες τὰ σημεῖα ἃ ἐποίει παρεκάλεσαν αὐτὸν μεῖναι.

10. τηρήσω σε ἐκ τῆς ὥρας τοῦ πειρασμοῦ τοῦ πειράσοντος τοὺς κατοικοῦντας τὴν γῆν.

EXERCISE 58

1. And when the woman had heard the things about Jesus, she came in the crowd behind and touched his garment.
2. And they brought to him a paralytic lying on a bed; and Jesus said to him: Get up. And he got up and departed to his house.
3. After this Paul departed from Athens and came to Corinth; and finding a certain Jew named Aquila, recently come from Italy, and his wife Priscilla, he stayed with them.
4. The kingdom of heaven is like both treasure hidden in a field and a net thrown into the sea.
5. We found the prison shut with all safety; but when we had opened it we found no one within.
6. Go into all the world and proclaim the gospel to the whole creation. He that believes and is baptized shall be saved.

EXERCISE 59

1. ἐκ τῆς φυλῆς Λευεὶ ἐσφραγισμέναι ἦσαν δώδεκα χιλιάδες.
2. τοῦτο τὸ ῥῆμα ἑρμηνευόμενόν ἐστι Μεθ' ἡμῶν ὁ Θεός.
3. ποῦ ἐστιν ὁ τεχθεὶς βασιλεὺς τῶν Ἰουδαίων;
4. ἀποκριθεὶς εἶπε τῷ λαλήσαντι· Τίς ἐστιν ἡ μήτηρ μου;
5. ἐν τῷ ἔτει τῷ δωδεκάτῳ ἀνέβησαν εἰς Ἱερουσαλήμ.
6. ἦν ἐν τῇ ἐρήμῳ ἡμέρας τεσσαράκοντα, πειραζόμενος ὑπὸ τοῦ διαβόλου.
7. ὅμοιοι ἔστε τοῖς ὑπακούουσι τῷ κυρίῳ αὐτῶν.
8. ἐμείναμεν ἡμέρας δέκα προσδεχόμενοι αὐτόν.
9. τὸ κλῆμα τὸ ἐξηραμμένον ἀποβάλλεται.
10. καλὸς μὲν ὁ ἄρτος οὗτος· ὁ δὲ κρείσσων ἄρτος ἐστιν οὗτος.

EXERCISE 60

1. ὁ ποιμὴν ὁ καλὸς καταλιπὼν τὰ ἐνενήκοντα ἐννέα πρόβατα ἐν τῇ ἐρήμῳ ζητήσει τὸ πλανώμενον.
2. ἑπτὰ πνεύματα πονηρότερα τοῦ πρώτου εἰσελθόντα κατοικεῖ ἐκεῖ.
3. ἀργύρια τριάκοντα ἦν ἡ τιμὴ τοῦ τιμηθέντος.
4. οὐ πίπτει ἡ οἰκία ἡ ἐπὶ πέτραν τεθεμελιωμένη.
5. ἡ ἀγάπη ἡ ἀπὸ τοῦ Θεοῦ εἰσελθοῦσα εἰς τὰς καρδίας ὑμῶν μενεῖ ἐκεῖ.
6. μηδενὶ τὰ ἐμὰ εἰπὲ ἡμέρας δεκατέσσαρας.

7. τῇ ἐπαύριον ἰδών τις τὸν Πέτρον διὰ τῆς πόλεως διερχόμενον ἀνακράξας ἐδεήθη αὐτοῦ εἰσελθεῖν εἰς τὴν οἰκίαν.
8. περὶ τὴν ἐνάτην ὥραν ἄγγελον εἶδε προσερχόμενον καὶ λέγοντα ὅτι ὁ Θεὸς ἤκουσε τὰς προσευχάς σου.
9. ἀποκριθέντες εἶπον οἱ ἀπόστολοι· Πάντα τὰ γεγραμμένα πληρωθήσεται.
10. πολλοὶ τῶν Ἰουδαίων τῶν ἐλθόντων ἠκολούθησαν αὐτῷ ἐλπίζοντες σημεῖόν τι ἰδεῖν.

Exercise 61

1. And being moved with compassion, he stretched out his hand and touched him, and says to him: I will, be cleansed.
2. While all were wondering at all the things which he did, he said to his disciples: Listen to these words.
3. And Paul said: I pray you, permit me to speak to the people. When he had given permission, Paul gestured with his hand to the people.
4. And when the women had come into the tomb they saw a young man clothed with a white garment.
5. Your body is the temple of the Holy Spirit within you, whom you receive from God; and you do not belong to yourselves, for you were bought at a price.
6. The twenty four elders will fall down before God, and will worship Him who lives for ever and ever, and will cast their crowns before the throne.

Exercise 62

1. πόσῳ διαφέρει ἄνθρωπος προβάτου;
2. ἐσθιόντων αὐτῶν ἔλαβεν ὁ Ἰησοῦς ἄρτον.
3. φαγόντας ἐξῆγεν αὐτούς.
4. οὐδὲν ὑστέρησα τῶν ἀποστόλων.
5. ἐμνήσθησαν τῶν ῥημάτων τῷ Παύλῳ εἰρημένων.
6. οἱ ἀπόστολοι διδάξουσιν ἡμᾶς τὴν ἀλήθειαν.
7. ἐνέδυσαν αὐτὸν τὸ ἴδιον ἱμάτιον.
8. ἐπιστεύθην τὸ εὐαγγέλιον ὑπὸ τοῦ Θεοῦ.
9. πάντα νικῶμεν.
10. τοιαῦτα ῥήματα οὐδὲν ἀρέσκει μοι.

Exercise 63

1. τοὺς τῷ Θεῷ προσκυνοῦντας ἐν πνεύματι καὶ ἀληθείᾳ δεῖ προσκυνεῖν.

2. τῶν γυναικῶν ἐγγιζούσων παρήγγειλεν ὁ Κύριος τοῖς μαθηταῖς δέχεσθαι αὐτάς.
3. ἔτι λαλοῦντος τοῦ Πέτρου τὸ Πνεῦμα τὸ Ἅγιον ἐπέπεσεν ἐπὶ πάντας τοὺς ἀκούοντας τὸν λόγον.
4. οἱ τῇ μαχαίρῃ χρησάμενοι ἐν τῇ μαχαίρῃ ἀποθανοῦνται.
5. τὸ ἐπιλαθέσθαι τῆς ἀδικίας πολλῷ κρεῖττόν ἐστι τοῦ μνησθῆναι τῆς ὑπερηφανίας.
6. αὕτη ἡ οἰκία ἑκατὸν ἀργυρίων ἠγοράσθη.
7. τί κερδήσουσιν ἐν τῇ βασιλείᾳ τῶν οὐρανῶν οἱ διακονήσαντες τῷ κόσμῳ τούτῳ;
8. τῶν ψυχῶν ἡμῶν τῇ ἁμαρτίᾳ βαρυνομένων οὐ δυνάμεθα τῷ Θεῷ ἀρέσκειν.
9. ἡμέρας δὲ γενομένης πλούσιός τις ἐλθὼν ᾐτήσατο τὸν Πειλᾶτον τὸ σῶμα τοῦ Ἰησοῦ.
10. ἐφάνησαν αὐτοῖς δύο ἄγγελοι στολὰς λαμπρὰς περιβεβλημένοι.

Exercise 64

1. And when evening had come and the sun was set, they began to bring to him all who were ill and those who were possessed by evil spirits.
2. The nobleman says to him: Sir, come down before my child dies. Jesus says to him: Go your way; your son is alive.
3. And already as he was going down his servants met him. So he enquired of them the hour at which the boy began to be better.
4. These are they by the wayside, where the word is sown, and immediately Satan comes and takes away the word that has been sown in them.
5. And Jesus answered them and said: Have you not even read what David did when he was hungry and those who were with him?
6. For neither received I the gospel from man nor was I taught it, but I received it through Jesus Christ's revelation.

Exercise 65

1. ταῦτα ἐποίησεν ὁ Κύριος ἄχρι οὗ ἀνελήμφθη ἀφ' ἡμῶν.
2. ἔπεσε τὸ σπέρμα ὅπου οὐκ εἶχε γῆν πολλήν.
3. ὁ δεύτερος ἀδελφὸς λαβὼν αὐτὴν ἀπέθανε μὴ καταλιπὼν σπέρμα.
4. ὁ ἐπὶ τοῦ δώματος μὴ καταβάτω.
5. ἐκέλευσεν αὐτὸν ὁ κύριος πραθῆναι.
6. ἡμάρτησα ὅτε ἐπελαθόμην τῆς ἐπαγγελίας μου.
7. ὁ δὲ Ἰησοῦς ὡς ἐβαπτίσθη εὐθὺς ἐκ τοῦ ὕδατος ἀνέβη.

8. αἱ παρθένοι αἱ μωραὶ λαβοῦσαι τὰς λαμπάδας οὐκ ἔλαβον μεθ' ἑαυτῶν ἔλαιον.
9. ἐποίησαν ἃ ἐδιδάχθησαν.
10. οὐδέποτε ἔγνων ὑμᾶς· ἀποχωρεῖτε ἀπ' ἐμοῦ.

Exercise 66

1. οἱ μὴ εἰς τὸν ποταμὸν ἀφικόμενοι ἔπαθον καὶ ἀπέθανον ἐν τῇ ἐρήμῳ.
2. ἐν ᾧ τοῦτον τὸν οἶνον πίνεις ἐγὼ καταβὰς ἄρτον ἀγοράσω.
3. ἐν Αἰγύπτῳ ἔμειναν ἕως οὗ ἐκέλευσεν ἄγγελος τὸν Ἰωσὴφ παραλαβόντα τὸ παιδίον ὑποστρέψαι εἰς τὴν γῆν Ἰσραήλ.
4. ὅπου ἐστὶν ὁ θησαυρός σου ἐκεῖ ἔσται καὶ ἡ καρδία σου.
5. οὐδὲ Τίτος ὁ σὺν ἐμοὶ ἠναγκάσθη περιτμηθῆναι.
6. λήμψεσθε τὸν ἐν τῷ ὀνόματι ἑαυτοῦ ἐρχόμενον.
7. ταῦτα ἐγένετο αὐτῷ διὰ τῶν χειρῶν τῶν Ἰουδαίων ὅτε εἰς Ἱεροσόλυμα ἀνέβη.
8. ὀψίας δὲ γενομένης οἱ ἐκ τῶν κωμῶν ἔφερον πρὸς τὸν Ἰησοῦν τοὺς ἐσχάτως ἔχοντας.
9. ὁ ἁμαρτάνων οὔτε ἑώρακεν αὐτὸν οὔτε ἔγνωκεν αὐτόν.
10. γνῶθι τὰ τοῦ Πνεύματος ὅτι τὰ τῆς σαρκὸς οὐκ ἀρέσκει τῷ Θεῷ.

Exercise 67

1. Did not the scripture say that the Christ comes of the seed of David, and from Bethlehem, the village where David was?
2. The Holy Spirit assures me from city to city that bondage and afflictions await me.
3. And when the women found not his body, they came saying that they had seen a vision of angels who said that he was alive.
4. And he appointed twelve that they might be with him, and that he might send them to preach and to have authority to cast out evil spirits.
5. This is the bread which comes down from heaven that a man may eat of it and not die.
6. God had mercy on him, and not on him only but on me too, lest I should have one grief upon another.

Exercise 68

1. νομίζετε τοὺς ἐργάτας τριῶν μηνῶν ταύτην τὴν οἰκίαν οἰκοδομήσειν;
2. νομίζεις ὅτι ὁ πατήρ σου εἶδε τὸν κλέπτην;
3. νομίζετε ὅτι ταῦτα σκανδαλίζει τὸν λαόν;

4. ἐνομίσατε ὅτι οἱ ποιμένες τὰ πρόβατα φυλάσσουσιν;
5. παρετήρουν αὐτὸν ἵνα κατηγορήσωσιν αὐτοῦ.
6. τοῦτο προσεύχομαι ἵνα ἡ ἀγάπη ὑμῶν περισσεύῃ.
7. οὐκ ἦλθεν ὁ Υἱὸς ἵνα κατηγορήσῃ τοῦ κόσμου.
8. οἱ ἀπόστολοι προσηύξαντο ἵνα λάβωσι τὸ Πνεῦμα τὸ ἅγιον.
9. τὸ Πνεῦμα εἶπε τῷ Πέτρῳ ὅτι ἄνδρες δύο ζητοῦσιν αὐτόν.
10. εἶπον τὸν Παῦλον θεὸν εἶναι.

Exercise 69

1. λέγω ὑμῖν ὅτι πολλοὶ προφῆται καὶ βασιλεῖς ἠθέλησαν ἰδεῖν ἃ ὁρᾶτε ὑμεῖς καὶ οὐκ εἶδον.
2. ἔπεμψα πρὸς ὑμᾶς ἀδελφὸν ἀγαπητὸν ἵνα γνῶτε τὰ ἡμέτερα καὶ ἵνα παρακαλέσῃ τὰς καρδίας ὑμῶν.
3. οὕτως ὑψωθῆναι δεῖ τὸν Υἱὸν τοῦ ἀνθρώπου ἵνα πᾶς ὁ πιστεύων ἐν αὐτῷ ἔχῃ ζωὴν αἰώνιον.
4. γέγραπται ταῦτα ἵνα πιστεύητε ὅτι ὁ Ἰησοῦς ἐστιν ὁ Χριστός.
5. οἱ προφῆται εἶπον ὅτι ὁ Μεσσίας ἐλεύσεται ἐν ταῖς ἐσχάταις ἡμέραις.
6. πάλιν ἔρχομαι καὶ παραλήμψομαι ὑμᾶς πρὸς ἐμαυτόν, ἵνα ὅπου εἰμὶ ἐγὼ καὶ ὑμεῖς ἦτε.
7. προσηυξάμεθα ὅπως ὁ τυφλὸς ἀναβλέψῃ.
8. λέγομεν Χριστὸν ἐπὶ τοῦ σταυροῦ ἀποθανεῖν καὶ τῇ τρίτῃ ἡμέρᾳ ἐγερθῆναι.
9. οἱ μὲν εἶπον ὅτι οἱ ἀπόστολοι μαίνονται, οἱ δὲ ὅτι λαλοῦσι τοὺς λόγους τοῦ Θεοῦ.
10. εἶπεν ὁ Ἰωάνης ὅτι εἶδόν τινα ἐκβάλλοντα δαιμόνια καὶ ἐκώλυσαν αὐτὸν διότι οὐκ ἠκολούθει τοῖς ἀποστόλοις.

Exercise 70

1. For whoever shall be ashamed of me and my words, the Son of man also shall be ashamed of him, when he comes in his Father's glory.
2. They shall assuredly not taste death until they have seen the kingdom of God come with power.
3. Therefore when you do your almsgiving, do not sound a trumpet in front of you, as the hypocrites do, in order that they may be glorified by men.
4. So they said to him: What shall we do that we may work the works of God?
5. And there come to him James and John, saying to him: Master, we want you to do for us whatever we ask you.
6. And they enquired of his father how he wished his son to be called.

Exercise 71

1. ἠρώτησεν αὐτὸν ὁ νομικὸς τίς ἐστιν ἡ ἐντολὴ ἡ μεγάλη.
2. ἐρωτᾷ αὐτοὺς ὁ Ἰησοῦς τίνος υἱός ἐστιν ὁ Χριστός.
3. ἠρώτησαν οἱ μαθηταὶ πότε ταῦτα γενήσεται.
4. ἡ γυνὴ ᾐτήσατο αὐτὸν ἐκβαλεῖν τὸ δαιμόνιον ἐκ τῆς θυγατρός.
5. τρίτον ὁ βασιλεὺς ἐκέλευσε τοὺς στρατιώτας ἀποκτεῖναι τοῦς δεσμίους.
6. τί φάγωμεν ἢ τί πίωμεν;
7. μὴ ἀποκρίνῃ πρὶν ἢ ἂν ἀκούσῃς ἃ λέγω.
8. ζητῶμεν ἀλλαχοῦ τὰ πρόβατα τὰ πλανώμενα.
9. οὐ μὴ ἀκούσω ῥήματα τοιαῦτα.
10. προσπορευσάμενοι πολλῷ κρεῖσσον εἴδομεν.

Exercise 72

1. ὡς κράτιστα οἰκοδομήσομεν τὸ ἱερόν.
2. ποῦ ἑτοιμάσωμεν ἵνα φάγῃς τὸ πάσχα;
3. ἠρώτησαν οἱ δώδεκα ποῦ ἑτοιμάσωσιν εἰς τὴν ἑορτήν.
4. ἐξελθὼν δὲ πρωῒ ἔμεινεν ἔξω μικρόν.
5. εἶπον μηδέποτε ἰδεῖν τηλικαῦτα ἔργα.
6. ὅπου ἂν εἰς οἰκίαν εἰσέλθητε, μείνατε ἐκεῖ ἕως ἂν ἐξέλθητε ἐκεῖθεν.
7. ὃς ἂν σκανδαλίσῃ ἕνα τῶν μικρῶν τούτων κατακριθήσεται.
8. ὅταν ἀπαρθῇ ἀπ' αὐτῶν ὁ νυμφίος, τότε νηστεύσουσιν ἐν ἐκείναις ταῖς ἡμέραις.
9. εὐκοπώτερον Ἑλληνιστὶ λαλεῖ ἢ Ἑβραϊστί.
10. μὴ νομίσητε ὅτι ἦλθον ἵνα καταλύσω τὸν νόμον ἢ τοὺς προφήτας.

Exercise 73

1. And he took a child and set him in the midst of them; and taking him in his arms, he said to them: Whoever receives one of such children in my name, receives me.
2. And Peter said to him: Your money perish with you, because you thought that you might acquire the gift of God for money.
3. Neither death nor life nor any other creature shall be able to separate us from the love of God that is in Christ Jesus.
4. Do you think that I cannot pray to my Father, and he will provide for me at this moment more than twelve legions of angels?
5. His lord said to him: Well done, good and faithful servant; you have been faithful over a few things, I will set you over many things. Enter into the joy of your Lord.

6. And while Peter was perplexed in himself at what the vision which he had seen might mean, behold, the men who had been sent by the centurion stood at the doorway, and were enquiring whether Simon, surnamed Peter, was lodging there.

EXERCISE 74

1. εἰσέλθοιμι εἰς τὴν οἰκίαν τοῦ Κυρίου.
2. ἠρώτησαν οἱ συγγενεῖς αὐτοῦ τί ἂν θέλοι ἐπικαλεῖσθαι τὸν υἱὸν αὐτοῦ.
3. τίς με κατέστησεν κριτὴν ἐφ' ὑμᾶς;
4. ἄνδρες δύο συνέστησαν τῷ Ἰησοῦ ἐν τῷ ὄρει.
5. εἶπε ταῦτα διὰ τὸν ὄχλον τὸν περιεστῶτα.
6. ὁ Θεὸς ἀναστήσει τοὺς πιστοὺς ἐν τῇ ἐσχάτῃ ἡμέρᾳ.
7. ὁ Ἰησοῦς φησιν αὐτῇ· Ἀναστήσεται ὁ ἀλελφός σου.
8. μηδεὶς καρπὸν ἐκ σοῦ φάγοι.
9. ἔστησεν αὐτὸν ὁ διάβολος ἐπὶ τὸ πτερύγιον τοῦ ἱεροῦ.
10. ἀναστὰς δὲ ὁ Πέτρος εἰς τὸ μνημεῖον ἔδραμεν.

EXERCISE 75

1. καθαρίσαι ὁ Κύριος τὴν καρδίαν σου καὶ ἁγνίσαι τὴν ψυχήν σου.
2. εἴποιμι ἂν σε μὴ εἶναι μαθητὴν ἀληθῆ.
3. εἶπεν ὁ Ἰησοῦς ὅτι οἱ γραμματεῖς οὐ θέλουσιν αὐτοὶ ποιεῖν ἃ διδάσκοιεν.
4. ἐν ταύταις ταῖς δυσὶν ἐντολαῖς ὅλος ὁ νόμος κρέμαται.
5. ἀνῆλθον εἰς Ἱεροσόλυμα παραστῆσαι αὐτὸν τῷ Κυρίῳ, καθὼς ἐν τῷ νόμῳ γέγραπται.
6. ἰδόντες τὸν χωλὸν δυνάμενον περιπατῆσαι οἱ ὄχλοι ἐξέστησαν.
7. οὐκ ἐδύνασο ἀντιστῆναι τῷ Πνεύματι τοῦ Θεοῦ.
8. μετὰ τοῦτον ἀνέστη Ἰούδας ὁ Γαλιλαῖος ἐν ταῖς ἡμέραις τῆς ἀπογραφῆς καὶ ἀπέστησε τὸν λαόν.
9. στῆτε ἑδραῖοι ὅταν ἐπαναστῶσιν ἄνδρες ἐφ' ὑμᾶς, καὶ δυνήσεσθε ἐξιστάναι αὐτούς.
10. ὁ δὲ Πέτρος ἠρνήσατο λέγων τῇ παιδίσκῃ· οὐκ ἐπίσταμαι τί λέγεις.

EXERCISE 76

1. If the world hates you, be sure that it has hated me before you. If you were of the world, the world would love its own.
2. If you had faith as a grain of mustard seed, you would say to this sycamine tree: Be uprooted and be planted in the sea; and it would have obeyed you.

3. If therefore your eye be clear, your whole body will be bright.
4. And if a kingdom be divided against itself, that kingdom cannot stand.
5. For the Jews had already agreed that, if anyone should acknowledge him as Christ, he should be excommunicate.
6. And those servants went out into the streets, and gathered together all they found, both bad and good; and the bride-chamber was filled with guests.

Exercise 77

1. εἰ ἐμὲ ἐδίωξαν διώξουσιν ὑμᾶς.
2. εἰ βεβαίως ἔθηκας τὸν θεμέλιον, ἡ οἰκία στήσεται.
3. εἰ συνανέκεισο αὐτῷ, ἐγίνωσκες ἂν αὐτὸν κρεῖττον.
4. εἰ μὴ ὁ Κύριος ἔπεμψε τοὺς ἀποστόλους, τὸ εὐαγγέλιον οὐκ ἠκούσθη ἂν ἐκεῖ.
5. τίς δὲ ἐξ ὑμῶν δύναται προσθεῖναι ἐπὶ τὴν ἡλικίαν αὐτοῦ πῆχυν ἕνα;
6. ἐκέλευσας τοὺς δούλους ἐπιθεῖναι τοὺς ἄρτους ἐπὶ τὴν τράπεζαν.
7. αἱ ὑδρίαι αἱ κείμεναι ἐκεῖ οἴνου ἐπλήσθησαν.
8. ἐπείσαμεν τὸν διδάσκαλον παραθεῖναι τῷ λαῷ ταύτην τὴν παροιμίαν.
9. ἠθέλησαν ἰδεῖν ποῦ κεῖται τὸ σῶμα.
10. εἰ ἐπιμελῶς ζητήσεις (*or* ἐὰν ἐπιμελῶς ζητήσῃς), εὑρήσεις τὸ ἀργύριον.

Exercise 78

1. τῶν δώδεκα ἀνακειμένων, προέθετο Ἰούδας ἐλθεῖν πρὸς τοὺς ἀρχιερεῖς.
2. ὁ ποιμὴν ὁ καλὸς θήσει τὴν ψυχὴν αὐτοῦ ὑπὲρ τῶν προβάτων.
3. εἰ ᾐτήσαντο οἱ μαθηταὶ ἔλαβον ἄν.
4. εἰ τοῦτο γένοιτο θαυμάσαιμεν ἂν αὐτό.
5. ἐὰν ζητῆτε πρῶτον τὴν βασιλείαν, πάντα ταῦτα προσθήσει ὑμῖν ὁ Θεός.
6. ἐδεήθη ὁ πατὴρ τοῦ Ἰησοῦ ἐπιθεῖναι τὰς χεῖρας τῇ θυγατρὶ αὐτοῦ ἵνα σωθῇ.
7. εἴ τις θέλει ὀπίσω μου ἐλθεῖν, ἀπαρνησάσθω ἑαυτὸν καὶ ἀράτω τὸν σταυρὸν αὐτοῦ καθ' ἡμέραν.
8. εἰ μὴ ἦλθον καὶ ἐλάλησα αὐτοῖς, ἁμαρτίαν οὐκ εἶχον ἄν.
9. εἰ μὴ ὁ Κύριος ἔθηκε τοὺς ἐχθροὺς ἡμῶν ὑπὸ τοὺς πόδας ἡμῶν, δοῦλοι ἦμεν ἂν σήμερον.
10. εἰ διὰ τοῦ νόμου ἔρχεται ἡ δικαιοσύνη, Χριστὸς δωρεὰν ἀπέθανεν.

EXERCISE 79

1. Behold your house is left to you. And I tell you, you shall not see me until you are saying : Blessed is he that comes in the name of the Lord.
2. Fear not, but speak and do not keep silence, because I am with you and no one shall set on you to harm you, for I have many people in this city.
3. Now John was baptizing at Aenon, as there was plenty of water there; and they were coming to him and being baptized; for John had not yet been thrown into prison.
4. Put on the full armour of God that you may be able to stand against the deceits of the devil.
5. And when you stand praying, forgive, if you have anything against anyone, that your Father in heaven also may forgive you your trespasses.
6. After two days comes the passover, and the Son of man is delivered up to be crucified.

EXERCISE 80

1. ἐζήτει ὁ Ἰούδας πῶς παραδοῖ Ἰησοῦν.
2. σκόπει οὖν μὴ τὸ φῶς τὸ ἐν σοὶ σκότος ἐστίν.
3. οὐ δύναμαι δοῦναι ὑμῖν τὸν ἄρτον ὃν αἰτεῖσθε.
4. ᾧ ἐδόθη πολύ, πολὺ ζητηθήσεται παρ᾽ αὐτοῦ.
5. ἥκω τοῦ ποιῆσαι τὸ θέλημά σου.
6. οἱ μαθηταὶ νυκτὸς καθῆκαν τὸν Παῦλον διὰ τοῦ τείχους.
7. ἔνιψεν ὁ Ἰησοῦς τοὺς πόδας τῶν μαθητῶν τοῦ δοῦναι αὐτοῖς ὑπόδειγμα.
8. ὁρᾶτε μὴ σκανδαλίσητε τὰ παίδια.
9. βλέπετε πῶς περιπατεῖτε ἵνα μὴ πέσητε.
10. ἐπίστασαι τί ἐστι τὸ θέλημα τοῦ Κυρίου;

EXERCISE 81

1. τὰ τοῦ Θεοῦ δεῖ μὴ Καίσαρι ἀποδοθῆναι.
2. τοῦτο λέγω, ἵνα πάντες πιστεύωσιν ὅτι δύναται ὁ Υἱὸς τοῦ ἀνθρώπου ἀφιέναι ἁμαρτίας.
3. οὐ μὴ ἀναδῶ τὴν μάχαιράν μου ἐὰν καὶ ἀποκτείνῃς με.
4. οἱ Φαρισαῖοι παρῆκαν μὲν τὴν ἐντολὴν τὴν μεγάλην ἐτήρησαν δὲ τὰ μικρὰ τοῦ νόμου.
5. ἀμπελὼν ἦν τινι ὃν γεωργοῖς ἐξέδοτο.
6. ἐμὸν βρῶμά ἐστιν ἵνα ὑπακούσω τῷ Πατρὶ τῷ πέμψαντί με.
7. ἐὰν κλέψῃς, εἰς φυλακὴν παραδοθήσῃ.
8. ἦν δὲ ὁ παραδοὺς εἷς τῶν δώδεκα τῶν συνανακειμένων τῷ Ἰησοῦ.

9. πάντα ὅσα ἔχεις διάδος τοῖς πτωχοῖς, καὶ ἕξεις θησαυρὸν ἐν οὐρανῷ.
10. εἰ μὴ ἐνίκησεν, ὁ στέφανος οὐκ ἐδόθη ἂν αὐτῷ.

Exercise 82

1. Now at that very time there were some present who told him about the Galileans whose blood Pilate had mixed with their sacrifices.
2. Keep watching therefore; because you do not know what day your Lord is coming. And be sure of this; if the householder had known in which watch the thief was coming, he would have kept awake.
3. And later on the rest of the virgins came too, saying: Lord, Lord, open up for us. But he said in reply: I tell you truly, I do not know you.
4. And now I am writing to you not to keep company with any so-called brother who is a fornicator or covetous man.
5. He says to them: Do not be astonished; you are looking for Jesus of Nazareth who was crucified. He is risen; he is not here; see the place where they laid him.
6. And whoever gives one of these little ones a cup of cold water only to drink, because he is a disciple, I tell you truly, he shall certainly not lose his reward.

Exercise 83

1. ἐκώλυον αὐτόν.
2. ἦλθες ἀπολέσαι ἡμᾶς;
3. ὁ πιστεύων εἰς Χριστὸν οὐ μὴ ἀπόληται.
4. ἐγνώκαμέν σε τίς εἶ.
5. μετανοεῖτε· ἤγγικε γὰρ ἡ βασιλεία τοῦ Θεοῦ.
6. εἰ ἐκ δεξιῶν αὐτοῦ ἐκάθισας, ἐτιμήθης ἄν.
7. ποιεῖς τὰ μὴ δέοντα.
8. ὁ μὲν δοῦλος οὗτος δηνάρια πεντακόσια ὤφειλεν, ὁ δὲ πεντήκοντα.
9. εἰ τέθνηκεν ὁ υἱός σου, φέρε αὐτὸν πρὸς τοὺς μαθητάς.
10. αἰτήσατε τὸν οἰκοδεσπότην δεῖξαι ὑμῖν τὸ ἀνάγαιον τὸ ἐστρωμένον.

Exercise 84

1. ἐκβαλὼν τοὺς γεωργοὺς τὸν ἀμπελῶνα ἀπώλεσεν.
2. προσελθόντων αὐτῷ τῶν ὄχλων, ἐδίδασκεν αὐτοὺς ὁ Ἰησοῦς ὡς εἰώθει.

3. εἰ βάλλουσιν οἶνον νέον εἰς ἀσκοὺς παλαιούς, ῥήγνυνται οἱ ἀσκοί.
4. εἷς δὲ ἐξ αὐτῶν, ἰδὼν ὅτι ἰάθη, ὑπέστρεψε δοξάζων τὸν Θεόν.
5. ὤμοσεν ὁ Πέτρος ὅτι οὐκ οἶδεν Ἰησοῦν.
6. οὐκ ἐξῆλθον ἰδεῖν ἄνθρωπον ἐν μαλακοῖς ἱματίοις ἠμφιεσμένον.
7. πολλοὶ μένουσι ἕως σήμερον, τινὲς δὲ ἐκοιμήθησαν.
8. εἴδομεν τὰς δυνάμεις αὐτοῦ καὶ μάρτυρές ἐσμεν αὐτῶν.
9. ἐὰν μὴ μετανοῆτε, πάντες ὡσαύτως ἀπολεῖσθε.
10. οὐκ ἐτόλμα οὐδεὶς λέγειν ἃ εἶδεν.

Exercise 85

1. And it happened that as he came near to Jericho a certain blind man was sitting by the roadside begging.
2. And I saw another angel ascending from the east, with the seal of the living God; and he cried with a loud voice to the four angels who had been authorized to injure the earth and the sea.
3. We strictly enjoined you not to teach in this name; and here you have filled Jerusalem with your doctrine.
4. And a very great crowd gathered to him so that he embarked on a boat and sat in the sea, and all the crowd were by the sea on the land.
5. And the crowds asked him: Then what are we to do? and in reply he said to them: Let the man who has two tunics share with him who has none, and let the man who has food do the same.
6. And the husbandmen beat him and sent him away empty-handed. And he sent yet another servant; but they beat and insulted him too and sent him away empty-handed. And he sent yet a third.

Exercise 86

1. παραθῶμεν ταῦτα τὰ τέκνα παρ' ἐκείνην τὴν τράπεζαν.
2. διαδίδωσι τὸν ἄρτον τοῖς ἀνακειμένοις.
3. ταῖς ἁμαρτίαις ἡμῶν ὁ Υἱὸς τοῦ ἀνθρώπου ἀνασταυροῦται.
4. ἐξέτεινε τὰς χεῖρας αὐτοῦ καὶ εὐθὺς ἀπεκατεστάθησαν.
5. αἱ γυναῖκες αἱ συναναβᾶσαι τῷ Ἰησοῦ εἰς Ἱεροσόλυμα διηκόνουν αὐτῷ καὶ τοῖς ἀποστόλοις.
6. οἱ ἀντιλέγοντες τῷ Καίσαρι ἀπωλείᾳ ἀπολοῦνται.
7. ἐν τῷ συνέρχεσθαι τὸν ὄχλον ἀπέφυγεν ὁ λῃστὴς εἰς τὴν ῥύμην.
8. Βηθλεέμ ἐστι μεθερμηνευόμενον Οἰκία ἄρτου.
9. συνκαθίσατε ἡμῖν ἐνθάδε διότι θέλομεν συνλαλεῖν ὑμῖν.
10. καὶ ἐγένετο ἐν τῷ ἐκθαυμάσαι αὐτοὺς ταῦτα ἀπῆλθεν ὁ ἄγγελος ἀπ' αὐτῶν.

Exercise 87

1. εἰ εἴπατε ἔρχεσθαι αἱ θύραι ἠνεῴχθησαν ἄν.
2. ὁ χρηστὸς κύριος προσέθετο δοῦναι ἕτερον δηνάριον τοῖς ἐργάταις.
3. περιεπάτησε τὰ τέκνα τέσσαρα τέσσαρα ἀπὸ τῆς συναγωγῆς εἰς τὴν ἀγοράν.
4. διὰ τοῦτο ἐλυπήθησαν λύπην μεγάλην καὶ εἰς οἰκίας αὐτῶν ὑπέστρεψαν.
5. ἀναστάντος τοῦ Χριστοῦ κατεπόθη ὁ θάνατος εἰς νῖκος.
6. ἀπολλύων ἀπολέσει ὁ Κύριος τὸν ἄνομον τὸν ἀποκαλυφθησόμενον ἐν ταῖς ἐσχάταις ἡμέραις.
7. εἰ καὶ οὐ φιλεῖς αὐτόν, ὀφείλεις ἀποδοῦναι τὸ ὀφειλόμενον.
8. ἀνέβημεν εἰς τὸ ὄρος κατάξοντες τὰ πρόβατα.
9. τοῦ δὲ λίθου ἀποκεκυλισμένου αἱ γυναῖκες εἰσελθοῦσαι νεανίσκον εἶδον καθήμενον περιβεβλημένον στολὴν λευκήν.
10. καὶ ἐγένετο Ἰησοῦ βαπτισθέντος ἠνεῴχθησαν οἱ οὐρανοὶ καὶ παραστὰς ὁ Ἰωάνης εἶδε τὸ Πνεῦμα τὸ ἅγιον σωματικῷ εἴδει καταβαῖνον ἐπ᾽ αὐτόν.